Apreciados amigos y familiares de los nue

Bienvenidos a la serie Lector de Scholastic. No
los más de noventa años de experiencia que te
con maestros, padres de familia y niños para c
que está diseñado para que corresponda con los intereses y la
destrezas de su hijo o hija. Los libros de Lector de Scholastic están
diseñados para apoyar el esfuerzo que su hijo o hija hace para
aprender a leer.

- Lector Primerizo
- Preescolar a Kindergarten
- El alfabeto
- Primeras palabras

- Lector Principiante
- Preescolar a 1
- Palabras conocidas
- Palabras para pronunciar
- Oraciones sencillas

- Lector en Desarrollo
- Grados 1 a 2
- Vocabulario nuevo
- Oraciones más largas

- Lector Adelantado
- Grados 1 a 3
- Lectura de entretención y aprendizaje

Si visita www.scholastic.com, encontrará ideas sobre cómo
compartir libros con su pequeño. ¡Espero que disfrute ayudando
a su hijo o hija a aprender a leer y a amar la lectura!

¡Feliz lectura!

—**Francie Alexander**
Directora Académica
Scholastic Inc.

Gus hace un regalo

LECTOR DE SCHOLASTIC •
NIVEL PRE 1
30-100 PALABRAS

Frank Remkiewicz

SCHOLASTIC INC.

A Sylvia

This book was originally published in English as *Gus Makes a Gift*

Translated by J.P. Lombana

Copyright © 2011 by Frank Remkiewicz

Translation copyright © 2013 by Scholastic Inc.

ISBN 978-0-545-49851-7

12 11 10   20/0

Printed in the U.S.A.   40
First Spanish edition, January 2013

Gus va a la escuela.

—Adiós, papá.

A Gus le encanta la escuela.

Es hora de hacer
manualidades.

¿Qué hará Gus?

Gus hace un regalo.

A mamá le gustará.

Aquí hay unas cuentas.

A Gus le gustan las cuentas.

**Las cuentas rojas son
sus favoritas.**

Gus hace un regalo.

—Mira mis cuentas —dice Tess.

—¡Mira las MÍAS! —dice Gus.

—¡AHORA mira las MÍAS!
—dice Tess.

—¡AHORA mira las MÍAS!
—dice Gus.

¡Ayy!

A mamá le gustará
de todas formas.

Gus corre a casa.

A mamá le gustan sus regalos.

¡Feliz Día de las Madres!